Junie B. en primer grado
(¡por fin!)

M

BARBARA PARK

Junie B. en primer grado (¡por fin!)

ilustrado por Denise Brunkus

SCHOLASTIC INC.
New York Toronto London Auckland Sydney
Mexico City New Delhi Hong Kong Buenos Aires

Originally published in English as *Junie B., First Grader (at last!)*
Translated by Aurora Hernandez.

ISBN 0-439-75693-6

Published by Scholastic Inc., 557 Broadway, New York, NY
10012, by arrangement with Writers House.
SCHOLASTIC and associated logos are trademarks and/or
registered trademarks of Scholastic Inc.

12 11 10 9 8 7 6 5 4 3 2 1   5 6 7 8 9 10/0

Printed in the U.S.A.
First Spanish printing, September 2005

A mis "casi" hermanas,
Kathy Kiefer y Marlene Day.
Son simplemente las mejores.

Contenido

■ ■ ■ ■ ■ ■ ■ ■ ■ ■

Junie B. en primer grado
(¡por fin!)

1

■ ■ ■ ■ ■ ■ ■ ■ ■ ■

Sorpresas de primer grado

Jueves

Querido diario de primer grado:

Ayer fue el primer día de clases.
Aquí todo es nuevo para mí.

Hoy mi maestro nos ha dado estos
diarios. Nos va a hacer escribir en
estas cosas tontas. Solo que yo no sé
qué decir.

Mi maestro tiene músculos y
~~bgote~~
~~vgote~~.

Se llama Sr. Susto.

Creo que se ha inventado ese nombre.

A mí ni siquiera me da susto.

De,

Junie B. de primer grado

Puse mi lápiz en la mesa y miré lo que había escrito.

Suspiré.

—Ahora me gustaría irme a casa —me dije a mí misma.

—¡Shh! —dijo una chica que se llama May—. Estoy intentando hacer mi trabajo.

May se sienta a mi lado, al fondo del salón de clases.

A mí esa chica ni me va ni me viene.

Justo entonces, mi maestro se levantó

de su mesa. Su bigote sonrió muy simpático.

—Muy bien, chicos. Ya pueden dejar de escribir —dijo—. Como ya les dije, este año vamos a trabajar mucho con nuestros diarios. Pronto empezarán a sentir que su diario es como un viejo amigo.

Levanté los ojos hasta el techo.

—¿Qué viejo amigo se parece a un cuaderno tan tonto? —dije.

—¡Shh! —volvió a decir May—. ¡No deberías hablar cuando el maestro habla, Junie Jones!

La miré enojada.

—B. —dije—. Me llamo Junie B. Creo que ya te lo dije antes, May.

Me acerqué más a su cara.

—B., B., B., B., B. —repetí.

Después de eso, di un golpe con mi silla y apoyé la cabeza en mi escritorio.

Miré de reojo a los otros chicos que se sientan cerca de mí.

Se llaman Herb y Lennie. Y Pierre.

Apenas los conozco.

Volví a suspirar.

El primer grado no es lo que parecía que iba a ser.

Mi salón se llama Salón Uno.

Cuando vine ayer, estaba nerviosa.

Por eso papá tuvo que cargarme hasta allí, porque mis piernas eran casi como de mantequilla.

Me dejó en el piso, junto a la puerta.

—Muy bien, hemos llegado, Junie B. —dijo—. Al primer grado. Por fin.

En mi estómago tenía mariposas.

Y en los brazos tenía carne de gallina. Y en la frente tenía gotas de sudor.

—Estoy muerta de miedo —dije.

Papá me sonrió muy simpático.

—No tienes que preocuparte de nada, Junie B. Te lo prometo —dijo—. El primer grado te va a encantar. Fíjate. Tienes un salón de clases lleno de amigos nuevos que desean conocerte.

Me despeinó con la mano.

—¿Ya estás lista? —preguntó—. ¿Eh? ¿Estás lista para empezar tu aventura de primer grado?

Lo miré un rato muy largo.

Entonces, me di la vuelta muy rápido. ¡Y me escapé corriendo a toda velocidad por el pasillo!

¡Papá salió corriendo detrás de mí!

Me agarró superrápido. Y me volvió a llevar a mi clase.

Solo que esta vez, ¡me llevó hasta adentro!

En cuanto me puso en el piso, me escondí detrás de sus piernas.

Porque ese sitio era como un zoológico, ¡te lo aseguro!

¡Había gente por todas partes! Había chicos y chicas. Y mamás y papás. Y abuelas y abuelos. Y además, había bebés babeando en sus cochecitos.

Entonces, de repente, ¡se me abrió la boca muy grande!

¡Porque había buenas noticias! ¡Por fin vi a alguien que conocía!

Empecé a dar saltos, arriba, abajo y por todas partes.

—¡PAPÁ! ¡PAPÁ! ¡ES LUCILLE! —grité—. ¿TE ACUERDAS DE

LUCILLE? ¡ERA MI *SUPERMEJOR* AMIGA DE KINDERGARTEN EL AÑO PASADO!

Lucille estaba en un escritorio cerca de la ventana.

Fui *escopeteada* hacia ella.

¡Entonces abracé y *requeteabracé* a la chica esa! ¡Y no podía parar!

—¡LUCILLE! ¡LUCILLE! ¡SOY YO! ¡SOY YO! ¡TU *SUPERMEJOR* AMI-GA DE KINDERGARTEN... JUNIE B. JONES!

La quise alzar.

—¡ESTOY TAN FELIZ DE VERTE, AMIGA! —grité contentísima.

Lucille apartó mis brazos de ella.

—¡Suéltame, Junie B.! ¡Suéltame! —dijo—. ¡Estás arrugando mi vestido nuevo del primer día de clases! ¡Este vestido ha costado una fortuna!

Dejé de abrazarla.

Lucille alisó y esponjó su vestido.

Yo también la alisé y la esponjé a ella.

—Ya está —dije—. Como nuevo.

Después de eso, la agarré de la mano y empecé a jalar.

—Vamos, Lucille. Vamos a buscar dos escritorios que estén juntos —dije—. Creo que nos deberíamos sentar cerca de la puerta. ¿Quieres? ¿Bueno? Si nos sentamos cerca de la puerta, podemos ver pasar a la gente por el pasillo.

Lucille soltó mi mano bruscamente.

—No, Junie B. No. Me voy a sentar en este escritorio —dijo—. Ya lo escogí con mis dos nuevas amigas, Camille y Chenille.

Señaló hacia la puerta.

—¿Las ves ahí? —dijo—. Las

9

conocí antes de que tú vinieras. Le están
diciendo adiós a su mamá. ¡Qué lin-
das son!

Miré a Camille y Chenille.

¿Y sabes qué?

¡Que casi se me salieron los ojos de
la cabeza!

¡Porque yupi yupi yei!

Esas niñas eran gemelas, ¡pues por eso!

Di un supersalto en el aire.

—¡GEMELAS! ¡GEMELAS! ¡SON GEMELAS, LUCILLE! ¡HOY ES NUESTRO DÍA DE SUERTE!

La volví a jalar.

—¡Vamos, Lucille! ¡Vamos a tocarlas! ¡Corre! ¡Corre! ¡Antes de que se forme una cola!

Lucille no movió ni un dedo.

—¡Déjame, Junie B.! ¡Deja de jalarme! —dijo—. Camille y Chenille no quieren que las toquen. Y además, yo soy su nueva amiga. No tú.

Miré a Lucille muy sorprendida.

—Sí, pero yo también puedo ser su *supermejor* amiga, igual que tú, ¿no es verdad, Lucille? —pregunté—. Lo único que tengo que hacer es presentarme, ¿no? Y entonces, todas podemos ser *supermejores* amigas.

Lucille movió la cabeza.

—No, Junie B. Lo siento. Pero tú y yo ya hemos sido *supermejores* amigas, ¿recuerdas? —dijo—. Fuimos *supermejores* amigas durante un año entero. Así que ahora les toca a Camille y a Chenille.

Se encogió de hombros.

—Me parece justo —dijo—. Además, sus nombres riman con el mío. Y el tuyo, no.

Arrugó su naricita muy presumida.

—Camille y Chenille y Lucille. ¿Ves? ¿No suena lindísimo?

Después de eso, me dio una palmadita en la espalda.

—No te pongas triste, ¿bueno? —dijo—. Tú y yo seguimos siendo amigas, Junie B. Solo que no todo el tiempo.

Después de eso, se despidió con los dedos.

Y dijo *ta-ta*.

Y se fue dando saltitos hacia Camille y Chenille.

2

Más sorpresas... y Herb

Mamá y papá tratan de animarme sobre lo de primer grado.

Mamá dice que a veces la vida te da sorpresas.

Papá dice que a veces tienes que poner buena cara al mal tiempo.

Yo digo que el primer grado es un fracaso.

El año pasado, tenía dos *supermejores* amigas.

Primero, Lucille.

Y además, la tal Grace.

Yo y la tal Grace íbamos juntas en el autobús todos los días.

Pero qué mala suerte. Este año Grace está en otro salón de clases. No es justo.

Pero ¡yupi!, ¡yupi! ¡Yo y Grace decidimos seguir yendo juntas en el mismo autobús! Porque para eso son las amigas. Creo.

Así que la semana pasada, nos sentamos juntas... ¡como siempre!

Solo que... ¿sabes qué?

El lunes por la mañana, Grace se subió al autobús con una niña nueva de su clase. ¡Y las dos se sentaron en los asientos que había justo delante de mí!

Me levanté de un salto. Y le di golpecitos a Grace en la cabeza.

—¿Grace? —dije—. Perdona. ¿Grace?

¿Qué disparate estás haciendo, señorita? ¿Es que no me has visto aquí sentada?

Grace me saludó muy simpática.

—Sí. Hola, Junie B. —dijo—. Lo siento, pero hoy no me puedo sentar contigo. Porque le prometí a Bobbi Jean

Piper que me sentaría con ella esta mañana. ¿Te parece bien?

Di una patada en el suelo.

—No, Grace. No me parece bien. No te puedes sentar con Bobbi Jean Piper —dije—. Tú y yo nos tenemos que sentar juntas todos los días. Porque el año pasado nos sentamos juntas todos los días. Y este año no va a ser diferente.

Justo entonces, el Sr. Woo, el conductor del autobús, cerró las puertas.

Me miró por el espejo.

—Siéntate, por favor, Junie B. —dijo.

Bobbi Jean Piper me señaló y sonrió.

—Te han llamado la atención —dijo con maldad.

Le puse cara de ogro a la chica esa.

—¡*Grr*, Bobbi Jean Piper! —dije.

Detrás de mí oí unas risas muy fuertes.

Me di la vuelta superrápido.

¿Y sabes qué?

¡Era Herb, el que se sienta delante de mí en el Salón Uno!

—¡Herb! —dije muy sorprendida—. ¡No sabía que ibas en este autobús!

Herb siguió riendo.

—¡Dijiste *grr*! —dijo—. *¡Grr!* ¡Ja! ¡Eso sí que es divertido!

Le fruncí mis cejas al chico ese.

—Sí, solo que hay un pequeño problema, Herbert —dije—. *Grr* no es un chiste. Además, ni siquiera te estaba hablando a ti.

Herb dejó de reír.

—Ya sé que no me estabas hablando a mí —dijo—. Nadie en este autobús me habla. Eso es porque el año pasado iba a otra escuela. Y todavía no tengo amigos de autobús.

Justo entonces, el autobús se paró en la siguiente esquina.

Herb se levantó de su asiento y se sentó a mi lado.

—A lo mejor, solo por un día, me puedo sentar aquí —dijo—. Solo hasta que tu amiga de autobús vuelva.

Me di golpecitos en la barbilla muy *piensadora*.

Entonces, levanté mucho la voz.

—Sí, claro que te puedes sentar aquí, Herbert —dije—. ¡Si quieres, te puedes sentar aquí para siempre! ¡Porque yo antes tenía una amiga de autobús que se llamaba Grace! ¡Pero la voy a soltar como flan caliente!

Bobbi Jean Piper se asomó por el asiento para mirarme.

—Querrás decir pan caliente —me corrigió.

Volví a ponerme de pie.

—¡BOBBI JEAN PIPER USA PA-
ÑALES! —grité.

El Sr. Woo frunció el ceño en el espejo.

—¡Siéntate, Junie B.! —gruñó.

Me senté.

Entonces di un resoplido. Y miré a Herb.

—Hoy no he empezado el día con el pie derecho —dije un poco bajito.

Herb asintió.

—Ya veo —dijo.

Me escurrí en mi asiento.

—Mis *supermejores* amigas me abandonan como moscas —dije.

Herb asintió.

—Bienvenida al club —dijo.

—El primer grado es un fracaso —dije.

Herb asintió.

—Tienes razón —dijo.

Miré por la ventana.

—*Grr* —dije.

—*Grr* —dijo Herb.

Sonreí para mis adentros.

Creo que me va a gustar este Herb.

3

Perpleja

Yo y Herb caminamos juntos desde el autobús al Salón Uno.

Herb saludó al Sr. Susto con la mano.

Yo también lo saludé.

—Ni siquiera me da mucho susto ese maestro —me dije a mí misma.

Seguimos caminando hasta nuestras sillas.

May ya estaba sentada en su escritorio. Estaba organizando su caja de lápices.

Lennie también estaba en su escritorio.

Solo que ya verás cuando oigas esto.

¡Casi ni lo reconozco!

Porque Lennie tenía un increíble corte de pelo nuevo, ¡por eso!

Era así, medio puntiagudo, medio *pinchudo*, medio *tiesudo*.

Con ese pelo te puede pinchar. Creo.

—¡Guau! —dije.

—¡Qué chévere! —dijo Herb.

—¡Fijador! —dijo Lennie.

—¡Shh! —dijo May.

Justo entonces, Pierre se metió entre las mesas. Iba *escopeteado*. Porque la campana estaba a punto de sonar.

—*Bon jour* a todos —dijo casi sin aliento—. *Bon jour, bon jour.*

Yo y Herb y Lennie lo miramos con curiosidad.

Pierre sonrió.

—¡Huy! —dijo—. *Bon jour* quiere decir buenos días en francés. Yo hablo

dos idiomas y a veces me olvido de cuál
estoy hablando.

—¡Guau, Pierre! —dije—. ¿De verdad que hablas dos idiomas?

—Chévere —dijo Herb.

—Qué tontería —dijo May—. Yo
también sé hablar francés. Puedo contar

24

hasta tres en francés. ¿Alguien me quiere oír?

Los demás nos miramos.

—No —dijo Herb.

—Yo no —dijo Lennie.

—Yo tampoco —dijo Pierre.

May no nos hizo ni caso.

—*Un, deux, trois* —dijo en voz alta.

Me acerqué a ella.

—¡Shh! —dije.

Entonces todo el mundo empezó a reírse.

Menos May.

Al poco rato, sonó la campana.

El Sr. Susto empezó el día.

Primero, pasó lista. Luego dijimos, *prometo lealtad a la bandera*. Y además, escuchamos los aburridos anuncios de la oficina.

Por fin, el Sr. Susto se acercó al pizarrón. Y escribió una lista de palabras.

—Niñas y niños —dijo—. Esta mañana van a hacer algo divertido.

Nos sonrió y señaló la lista.

—Quiero que lean estas palabras en voz baja —dijo—. Luego, sin hablar con sus compañeros, tienen que elegir una palabra de la lista y hacer un dibujo en sus diarios.

May dio un gritito de felicidad.

—¡Ay, qué requetebién! —dijo—. Me encantan estas tareas, Sr. Susto. ¡Lo de no hablar con los compañeros me parece fenomenal!

Después de eso, sacó un lápiz de su caja y se puso a dibujar.

Yo miré las palabras.

Luego, me froté la barbilla y me rasqué la cabeza.

Porque en realidad no entendía muy bien esa tarea. Pues por eso.

—Ummm —dije—. Umm. Umm. Ummm.

Miré de reojo a Herb y a Lennie y a Pierre.

Todos estaban dibujando.

Volví a mirar el pizarrón.

Entonces estiré el cuello todo lo que pude. Y miré y miré con todas mis fuerzas.

Pero esas palabras me tenían perpleja. ¡Te lo aseguro!

Por fin, me acerqué a Herb en secreto. Y le di golpecitos en la espalda.

—Oye, Herb —susurré—. Una pregunta rápida. ¿Qué palabra estás dibujando?

May dio un resoplido muy fuerte.

Saltó de su asiento y me señaló.

—¡Sr. Susto! ¡Sr. Susto! ¡Junie Jones está hablando con su compañero! ¿La ve? Está hablando con Herbert. ¡Y eso va contra las reglas!

Giré la cabeza.

—¡Chismosa! —grité—. May, la chismosa.

El Sr. Susto nos miró.

Su bigote no sonreía.
Yo tragué saliva.
Luego abrí mi diario muy rápido.
Y empecé a dibujar.

4

Gallina

Dibujamos y dibujamos en los diarios.

El Sr. Susto esperó hasta que todos terminamos.

Después se paseó por el salón. Y miró los dibujos de todos.

Repartió estrellitas doradas y brillantes.

Primero, les dio estrellitas a Camille y Chenille.

—Qué perros más lindos han dibujado, chicas —dijo—. Mira qué orejas más divertidas tienen.

Lucille levantó la mano.

—¡Mire el mío, maestro! —dijo—. Dibujé un gato con orejas puntiagudas. ¿Lo ve? Mi nana millonaria tiene un gato igual que este. Su pelo mide casi medio metro de largo.

El Sr. Susto la miró sorprendido.

—¿De verdad, Lucille? ¿Medio metro de largo? —dijo—. ¡Qué barbaridad!

Le dio una estrellita dorada y siguió.

Fue hacia un niño que se llama Roger. Roger estaba en mi clase del año pasado.

—Un trabajo excelente, Roger —dijo el Sr. Susto—. Dibujaste un pato con un vaso. Las palabras pato y vaso estaban en el pizarrón, ¿verdad?

Yo fruncí un poco el ceño.

Porque no me sonaba ninguna de esas palabras.

Después de eso, el Sr. Susto fue hacia Sheldon y Shirley.

—Sheldon, muy bien esa casa y esa planta —dijo.

—¡Y Shirley! Tú también dibujaste una casa y una planta, ¿no?

Yo puse la cabeza sobre el escritorio. Algo andaba mal.

Por fin, el Sr. Susto llegó a May.

—Oh, May —dijo—. Dibujaste un gorila precioso. Es de color verde. Qué original.

—Sí —dijo May—. Lo hice yo misma. Además, la palabra gorila era la más difícil de todas, ¿verdad, Sr. Susto? Seguro que yo era la única que sabía la palabra gorila.

Justo entonces, me empecé a sentir mal de la barriga.

Cerré mi diario muy rápido y lo guardé en mi escritorio.

El Sr. Susto me vio.

—¿Junie B.? —dijo—. ¿No me quieres enseñar tu dibujo? ¿No quieres una estrella dorada?

Negué con la cabeza muy rápido.

—No. No, gracias. No quiero —dije—. Hoy, no. De verdad, de verdad que hoy no quiero una estrella dorada. Pero gracias por preguntar.

El Sr. Susto siguió allí parado.

—Fin —dije.

Él ni se movió.

—Por favor, siga su camino.

Por fin, el Sr. Susto se agachó hasta mí.

Bajó su voz para que nadie lo pudiera oír.

—Lo siento, Junie B. Pero me encantaría ver lo que has dibujado —dijo—. Tengo que cerciorarme de que entendiste la tarea.

Entonces, antes de que me diera cuenta, agarró el diario de mi escritorio y me lo dio.

Después de eso, me llevó al pasillo. Y me dejó enseñarle el dibujo a solas.

¿Y sabes qué?

¡Que le gustó! Creo.

—Fíjate, Junie B. Mira eso —dijo—. Hiciste un dibujo precioso de un... un...

Siguió mirando.

—Un... un...

—Una gallina gritando —dije por fin.

El Sr. Susto puso una cara rara.

—Sí, eso —dijo—. Es una...

—Una gallina gritando —volví a decir.

Señalé la boca de la gallina.

—¿Ve cómo grita? ¡PÍO! ¡PÍO! ¡PÍO! He puesto los píos en mayúsculas. Las mayúsculas son para gritar. ¿No?

—Bueno... sí. Supongo que sí, Junie B. —dijo el Sr. Susto—, pero el caso es que la palabra gallina no estaba en el pizarrón.

—Ya lo sé —dije—. La palabra que había en el pizarrón era gorila. Solo que supongo que no leí bien todas las letras. Porque por equivocación pensé que era gallina.

Me froté la barbilla.

—En realidad, lo que yo quería dibujar era la masa y la plasta —dije—. Me gusta como suenan. Pero no sabía *sactamente* cómo empezar. Así que por eso hice la gallina.

El Sr. Susto me miró confundido.

—¿La masa y la plasta? —preguntó.

Lo miré un poco avergonzada.

—Sí... bueno, supongo que tambíén leí mal esas palabras —dije—. Resulta que al final eran casa y planta.

El Sr. Susto frunció el ceño.

—Umm —dijo—. ¿Y las otras palabras que hay en el pizarrón, Junie B.? ¿Recuerdas alguna de las otras palabras que leíste? ¿Por ejemplo, perro y gato? ¿O pato y vaso?

Volví a pensar. Entonces dije en voz muy bajita.

—Peso y paso y palo y caso —dije.

El Sr. Susto asintió con la cabeza.

Luego me dio golpecitos alentadores en la mano.

Y me devolvió mi diario.

Y volvimos al Salón Uno.

5

Dos o tos

Martes

Querido diario de primer grado:

El Sr. Susto me acaba de sacar del recreo. Todos los otros niños siguen allí, jugando.

Me dijo que escribiera en el diario durante un minuto y que él regresaría pronto.

Lo estoy mirando de reojo desde detrás de estas páginas.

Está escribiendo frases en el

pizarrón. Es tarea extra para mí.
Creo.

En realidad, eso no me
parece bien.

De,

Junie B. de primer grado

El Sr. Susto dejó la tiza.

—Ya puedes dejar de mirarme de reojo, Junie B. —dijo.

Lo miré muy sorprendida. Porque por lo visto ese señor tiene ojos detrás de la cabeza.

Se dio la vuelta y sonrió.

—¿Ves estas tres frases que acabo de escribir? —preguntó.

—Sí —dije—. Las veo.

—Excelente —dijo el Sr. Susto—. Por

favor, ¿podrías ponerte de pie e intentar leerlas desde ahí?

Justo entonces, mi cabeza empezó a palpitar y a dar golpes por dentro.

Porque no se me da bien leer del pizarrón. Pues por eso.

Me quedé sentada.

—Por favor —dijo el Sr. Susto—. Inténtalo, ¿quieres?

Por fin, me puse de pie y entrecerré los ojos para ver las frases.

Leí muy despacio.

—Callos... tiene... dos —leí.

Fruncí un poco el ceño al enterarme.

—¿De verdad? —pregunté—. ¿Quién tiene dos callos?

El Sr. Susto señaló la oración número dos.

—Prueba con esta —dijo.

Volví a entrecerrar los ojos.

—Ya... quemo... paz —leí otra vez.

Miré a mi maestro con curiosidad.

—Estas frases son un poco raras, ¿no? —dije.

El Sr. Susto señaló la última.

—La última —dijo.

Esta vez estiré el cuello. Y puse los ojos chiquititos.

—Marta... come... come...

Puse mis ojos más chiquititos todavía.

—... papel —leí.

Hice un suspiro.

—¿De veras? ¿Marta? ¿Qué Marta?

El Sr. Susto vino hasta mi silla.

Me tomó de la mano y me acercó al pizarrón.

—¿Puedes intentar leerlas una vez más desde aquí, Junie B.? —dijo.

Empecé a gimotear.

—Lo que pasa es que no las quiero volver a leer, Sr. Susto —le dije—. Porque ya sé lo que dicen.

—Una vez más —dijo.

Así que, al final, tomé aire con fuerza y leí las frases de corrido.

—Carlos tiene tos. Yo quiero pan. María come pastel.

Me tapé la boca muy sorprendida.

—¡Fíjese! Es María y lo que come es pastel, Sr. Susto —dije—. ¡Menos mal! ¡Qué alivio! ¿No?

El Sr. Susto se rió.

—Desde luego —dijo.

Después de eso me dirigí hacia la puerta.

—Muy bien, pues supongo que ya puedo volver al recreo —dije—. Hasta luego.

Esperé a que contestara.

Pero no dijo hasta luego.

Me di la vuelta.

—¿Hasta luego? —dije un poco más bajito.

Pero el Sr. Susto dijo que no con la cabeza.

Y peor para mí.

Por lo visto tenía otros planes.

El Sr. Susto me tomó de la mano.

Me sacó del Salón Uno y me llevó por el pasillo.

—Tú y yo vamos a ir a visitar a la Srta. Weller —dijo—. Recuerdas a la Srta. Weller del año pasado, ¿no?

Dije que no con la cabeza. Porque ese nombre no me sonaba para nada.

—Lo que más me gustaría recordar es el recreo —dije.

El Sr. Susto me dio unas palmaditas en el hombro.

—La Srta. Weller es una persona encantadora —dijo.

—El recreo también es una persona encantadora —dije.

—La Srta. Weller es la enfermera de la escuela —dijo.

Dejé de caminar en el acto.

Porque a la enfermera es adonde vas cuando estás enferma o cansada. Y yo estaba completamente bien.

—Pero estoy sana —dije—. ¿Ve? Ni siquiera necesito una curita.

El Sr. Susto sonrió.

Volvió a arrastrarme.

—Por supuesto que estás sana, Junie B. —dijo—. Pero la Srta. Weller, además de dar curitas, hace muchas más cosas.

Justo entonces, entramos en la oficina de la Srta. Weller.

¿Y sabes qué? ¡Que la recordé perfectamente bien! ¡Solo que no sabía que se llamaba así!

—Pero mira quién está aquí —dijo—. Qué sorpresa verte de nuevo, Junie B. Jones.

—Para mí también es una sorpresa verla —dije—. Porque no estoy enferma ni cansada. Además, en estos momentos debería estar en el recreo.

La Srta. Weller lanzó una carcajada.
Solo que no sé por qué.

Después de eso, ella y el Sr. Susto
empezaron a cuchichear.

Al final, el Sr. Susto me dio una palmadita en la espalda.

—Te voy a dejar aquí con la Srta. Weller un ratito, Junie B. —dijo—. Entre las dos van a jugar un juego con las tablas para la vista. ¿Está bien?

De repente, el estómago me empezó a dar saltos.

Porque eso de jugar un juego con la enfermera no sonaba muy divertido.

"No —dije para mis adentros—. No está bien".

El Sr. Susto se despidió con la mano.

—Hasta luego —dijo.

Vi cómo se marchaba.

No quise contestarle "hasta luego".

6

El juego de la E

Me senté en la silla que había cerca del escritorio de la Srta. Weller.

Me hizo muchas preguntas.

Primero, me preguntó cómo lo había pasado en el verano. Luego me preguntó si me gustaba el primer grado. Y si me gustaba el Sr. Susto.

A eso se le llama chismorrear. Creo.

Después, la Srta. Weller se puso de pie.

—¿Has visto las tablas para la vista que tengo en las paredes, Junie B.? —preguntó.

Las señaló.

—Estas tablas son como afiches que nos ayudan a evaluar la visión —explicó—. Tengo dos diferentes. ¿Ves? Una tiene las letras del abecedario. Y la que está al lado está llena de unas Es muy raras. Se llama la tabla de la E.

Miré la cosa esa.

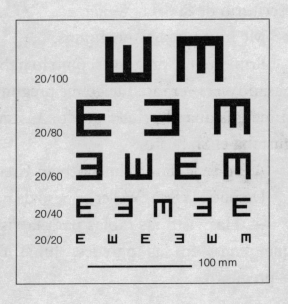

—Guau —dije—. Esas son las Es más locas que he visto en mi vida. Están al revés, mirando para atrás y boca abajo.

—Es verdad —dijo la Srta. Weller—. Esas Es están todas patas arriba, ¿no? Y hoy, tú y yo vamos a jugar un juego con todas esas Es raras. Se llama el juego de la E.

Después de eso, la Srta. Weller sacó un vasito de papel. Y me enseñó cómo me lo tenía que poner encima de un ojo.

—Vamos a evaluar cada ojo por separado —dijo—. Mientras uno de los ojos se esconde detrás del vaso, el otro juega el juego. ¿Lista?

Yo me encogí de hombros. Porque ¿qué otra cosa iba a hacer?

La Srta. Weller me dijo dónde me tenía que poner para jugar. Luego se fue hacia la tabla de la E.

—Muy bien —dijo—. Ahora, cada vez que señale una E, quiero que me digas en qué dirección apunta. ¿Lista, Junie B.?

Volví a levantar los hombros. Después

escondí un ojo detrás del vaso. Y la Srta.
Weller señaló la primera E.

Yo señalé con el dedo hacia arriba.

—Esa está apuntando hacia el techo
—dije.

—Bien —dijo—. Excelente.

Me sentí un poco mejor por dentro.

La Srta. Weller señaló la siguiente E.

Yo apunté con el dedo hacia el suelo.

—Esa apunta hacia abajo —dije.

La Srta. Weller sonrió y asintió.

Yo me estiré un poquito. Porque esto no era tan difícil como yo creía.

Después de eso, la enfermera siguió señalando más Es. Y yo seguí diciéndole hacia donde apuntaban.

—Derecha... izquierda... abajo... izquierda... arriba...

Me detuve y sonreí.

—Quién lo iba a decir. Soy una flecha con este juego. ¿Verdad, Srta. Weller? ¿Verdad? ¿Verdad? —dije.

La Srta. Weller me guiñó el ojo.

—Casi hemos terminado —dijo—. Solo quedan muy poquitas Es.

Señaló otra fila.

Había algo borroso cerca de su dedo.

—Huy —dije—. ¿Qué pasó ahí? ¿Alguien manchó su tabla?

La Srta. Weller frunció un poco el ceño. Siguió señalando el borrón.

—¿Puedes decirme qué es esta marca, Junie B.? —preguntó.

—Sí —dije—. Es un manchón.

La Srta. Weller movió el dedo un poquito.

—¿Y esta marca de aquí? ¿Puedes decirme qué es esta marca de aquí?

Yo miré y *requetemiré* la cosa esa.

—Umm. Eso es más difícil —dije.

—Está bien —dijo—. Lo hiciste muy bien, Junie B.

Después de eso, volvimos a jugar el mismo juego con mi otro ojo.

¿Y sabes qué?

Que vi tres manchones más.

Cuando terminé, me volví a sentar en la silla.

La Srta. Weller dijo que necesitaba lentes.

No me gusta la Srta. Weller.

7

Lo adivinaste

La enfermera llamó a mamá al trabajo.

Le chismeó lo de los lentes.

Entonces mamá se lo chismeó a papá. Y esos no dejaban el tema en paz.

Hablaron de lentes durante toda la cena y toda la noche.

Yo ni siquiera podía digerir bien la comida. Porque seguían hablando de los estúpidos lentes.

—Tarde o temprano, todo el mundo termina llevando lentes, Junie B. —dijo papá—. De veras.

Yo apoyé la barbilla en mis manos, muy tristona.

—No es cierto —gruñí.

—Papá te está diciendo la verdad, Junie B. —dijo mamá—. Y además, vas a verte lindísima con lentes.

—No, ni hablar —gruñí otra vez.

—Seguro que sí —dijo papá—. Imagínate qué maravilla va a ser poder leer las palabras del pizarrón.

Me tapé las orejas.

—Ninguna maravilla, ninguna maravilla —dije.

Mamá me apartó las manos.

—Escúchame, cariño. Por favor —dijo—. Los lentes son como ventanas mágicas para los ojos. Cuando te los pones... ¡tachán! todo el mundo se ve fenomenal.

Di un resoplido muy grande.

—Tachán para ti —gruñí.

Después de eso, mamá me cargó.

Y me llevó a mi cuarto.

Porque esos eran más gruñidos de la cuenta.

A la mañana siguiente, papá me llevó al doctor de los ojos.

El doctor de los ojos me hizo muchas más pruebas. Eran un poco divertidas. Solo que no se lo dije a papá.

El doctor también me puso gotas en los ojos. Las gotas hacen que se te pongan los ojos gordotes y oscuros.

Los ojos se ven muy lindos de esa manera.

Después del doctor de los ojos, me fui a casa hasta que las gotas no funcionaran más.

Entonces papá me llevó a la escuela.

¿Y sabes qué?

Que todos los niños se quedaron mirándome cuando entré en el salón de clases.

Porque había llegado tarde, por eso.

Fui hacia mi escritorio un poco tímida.

La cara de Herb sonrió al verme.

—¡Junie B. Jones! ¿Dónde estabas? —dijo—. Te guardé un sitio en el autobús, pero no llegaste.

—Pensábamos que a lo mejor estabas enferma —dijo Pierre.

—Eso —dijo Lennie—. No estarás enferma, ¿verdad?

—Realmente espero que no esté enferma —dijo May—. No deberías venir a la escuela si estás enferma, Junie Jones. Los gérmenes empiezan así, cuando uno va enfermo a la escuela.

Me chupé la parte de adentro de los cachetes.

—No estoy enferma, May. Solo he llegado tarde y ya está.

May puso una cara gruñona.

—Bueno, pero llegar tarde tampoco está bien —dijo—. Cuando llegas tarde, te ponen una marca negra en tu expediente para siempre.

Me tapé las orejas para no oírla.

—Bla, bla, bla, bla, May —dije.

Herb y Lennie y Pierre se rieron a carcajadas.

Esos chicos me empiezan a caer bien. Creo.

Enseguida, saqué mi cuaderno e intenté hacer los ejercicios de matemáticas.

Pero peor para mí. Porque no podía dejar de preocuparme por mis lentes.

"¿Y qué pasa si con esas cosas parezco tonta y ridícula? —pensé—. ¿Y qué pasa si todo el Salón Uno se ríe de mí? ¿Y qué pasa si parezco una loca de remate y nadie quiere ser mi amigo?"

La preocupación no se me iba de la cabeza.

A lo mejor, debía decírselo a alguien. ¿Por qué no?

Al final, me estiré y le di un golpecito a Herb.

—Oye, Herb —susurré muy suave—. Tengo que decirte algo. Solo que me da miedo decírtelo. Porque ¿qué pasa si te ríes de mí? Solo que no creo que lo hagas. Pero todavía no sé si debo decírtelo. Así que no me vuelvas a preguntar sobre el tema. Te lo digo en serio.

Después de eso, esperé y esperé.

Pero Herb no me preguntó.

Le volví a dar golpecitos.

—Bueno, está bien. Te doy una pista

—dije—. Pero vas a tener que darte la vuelta y mirarme de reojo.

Herb se dio la vuelta y me miró de reojo.

Hice unos círculos con los dedos. Y me los puse delante de los ojos.

—Muy bien, ¿qué estoy haciendo, Herb? —volví a susurrar—. ¿Eh? ¿Qué crees que es esto? Estoy poniendo unos círculos delante de mis ojos, ¿ves? ¿Qué crees que son?

May se acercó a mi escritorio.

—¡Calla! —dijo—. ¡Deja de molestar a Herb, Junie Jones! Si no te callas ahora mismo, se lo voy a decir al maestro.

De repente, di un salto y me puse delante de mi silla.

Porque estaba harta de esa niña. ¡Por eso!

—¡NO! ¡TE CALLAS TÚ, CABEZA

DE CHORLITO! —dije—. ¡ADEMÁS, NO ESTOY MOLESTANDO A HERBERT! ¡LE ESTOY DANDO UNA PISTA DE MIS NUEVOS LENTES! ¡Y ESO NO ES ASUNTO TUYO, SEÑORITA!

La cara de May me miró con horror.

Abrió la boca muy grande.

—¿Te van a poner lentes? —dijo en voz muy alta.

—¿Te van a poner lentes? —dijo todo el Salón Uno.

Los chicos me miraron y me miraron.

La cabeza me ardía y me sudaba.

Me volví a sentar en mi silla.

Luego miré a Herb con cara de enferma.

Y le susurré las palabras: lo adivinaste.

8

■ ■ ■ ■ ■ ■ ■ ■ ■ ■

Mostrar y contar

Viernes

Querido diario de primer grado:

Hoy traje mis lentes nuevos a la escuela.

Los llevo escondidos en el bolsillo de mi suéter. Porque no me los quiero poner.

Por eso. Tengo un nudo en la barriga.

Y también tengo tensión en la cabeza.

Hoy tenemos muestra y cuenta.

Ojalá se acabara el día.
De,
Junie B. de primer grado

El Sr. Susto dio unas palmadas.

—Muy bien, chicos. Por favor, ahora guarden sus diarios. Más adelante les daré más tiempo si lo necesitan. Pero ahora, quiero empezar con el muestra y cuenta. ¿Quién quiere ser el primero?

May salió disparada de la silla.

—¡Yo! ¡Yo! —gritó.

Entonces sacó superrápido un sobre marrón de su mochila. Y se fue corriendo al frente del salón.

—¡Miren, son mis calificaciones de kindergarten! —dijo muy emocionada—. ¡Traje mis calificaciones para compartirlas con ustedes!

May las agitó en el aire.

—¡Miren! ¡Miren! ¿Las pueden ver todos? ¡Saqué E en todo! ¡E es de excelente! ¿Ven? ¡Hay una E en cada asignatura!

Puso sus notas delante de ella.

—Muy bien. Ahora les leeré cada asignatura, una por una —dijo.

Después de eso, tomó aire y empezó a leer.

—Número uno: Obedecí. Número dos: Aproveché el tiempo. Número tres: Seguí las normas de la escuela. Número cuatro: Ordené mi zona de trabajo. Número cinco: Fui...

El Sr. Susto se levantó.

—Gracias, May —dijo—. Es muy interesante. Pero creo que debemos seguir adelante y...

May levantó la voz.

—NÚMERO CINCO: FUI EDU-

CADA Y RESPETUOSA. NÚMERO SEIS: ¡NO DESPERDICIÉ EL MATERIAL! NÚMERO SIETE: ES...

Justo entonces, el Sr. Susto agarró a May por el brazo y la llevó a su asiento.

Lennie levantó la mano y fue el siguiente.

Nos mostró su nuevo fijador de pelo. Y además nos dejó tocarle el pelo.

Después de eso, Sheldon nos mostró cómo aguantaba parado un largo rato sobre un solo pie.

Y Pierre cantó una canción sobre unas ranas.

Y Shirley nos mostró su sándwich de pavo. Nos mostró el pan y la mayonesa y el tomate.

Al final, el Sr. Susto se volvió a poner de pie.

—Fantástico, Shirley. Un sándwich excelente —dijo—. Pero creo que ahora debe volver a su bolsa.

Shirley se sentó.

El Sr. Susto miró a todo el salón.

—Muy bien. ¿Quién quiere ser el siguiente? —dijo.

La barriga me empezó a dar vueltas.

Porque una idea nerviosa empezó a darme vueltas en la cabeza.

Miré mis lentes en el bolsillo de mi suéter.

Entonces tragué con fuerza. Y levanté la mano en el aire muy rápido.

—¡Yo! —grité—. ¡Yo!

El Sr. Susto sonrió.

—Muy bien, Junie B. —dijo—. ¿Has traído algo para mostrar a los demás?

Enseguida volví a bajar la mano.

—No —dije—. He cambiado de opinión.

Mi corazón saltaba y daba trompicones.

Volví a mirar mis lentes.

Entonces, de repente, mis piernas se pusieron de pie. ¡Y me llevaron al frente del salón de clases!

Mis rodillas temblaban como un flan.

Me puse en cuclillas y *hice* unas respiraciones profundas.

El Sr. Susto vino hacia mí.

—¿Estás bien, Junie B.? —preguntó—. ¿Te gustaría sentarte y hacerlo otro día?

—No —dije—. Quiero quitarme esto del medio.

Entonces, rápida como un rayo, metí

la mano en mi bolsillo. Y saqué mis lentes nuevos.

May empezó a reírse.

Era una risa malvada y muy fuerte.

—¡MIREN! ¡SON SUS LENTES! —gritó—. ¡TRAJO SUS LENTES PARA MOSTRAR Y CONTAR! ¡Y JA, JA! ¡SON MORADOS!

Los ojos se me llenaron de lágrimas.

Me tapé la cara con las manos muy rápido. Quería sentarme, pero mis piernas no se movían.

Me quedé allí congelada.

Entonces… de repente… ¡oí un ruido!

¡Era el ruido de unos pies corriendo! Creo.

Abrí los ojos.

¡Mi nuevo amigo Herb venía corriendo hacia el frente del salón de clases!

Me quitó los lentes de la mano. ¡Y se los puso en su propia cara!

—¡Qué chévere! —dijo—. ¡Lentes morados!

Miró a su alrededor.

—Guau —dijo—. Mis ojos nunca podrían ver con estas cosas, Junie B. Debes tener unos ojos muy especiales.

Me miró con admiración.

—¿Cómo lo hacen tus ojos? ¿Eh?

¿Tienes visión de rayos X o algo así? —preguntó.

Yo moví los hombros un poco tímida.

—La verdad es que no lo sé, Herbert —dije—. A lo mejor.

Herb me devolvió los lentes.

—Toma —dijo—. Póntelos y lee algo.

Me balanceé adelante y atrás con los pies.

—Bueno, está bien, Herb. Si insistes... —dije.

Después de eso, me puse los lentes. Y me fui a la parte de atrás del salón de clases.

Leí los anuncios del pizarrón.

—Viernes, 23 de septiembre —leí—. Hoy, prepárense para mostrar y contar.

Sonreí orgullosa.

—Fin —dije.

Entonces, volví a mi escritorio.

Herb vino corriendo hacia mí.

Chocamos las palmas.

¿Y sabes qué?

Que también choqué las palmas con Lennie y Pierre.

El Sr. Susto levantó el dedo gordo.

—Unos lentes fantásticos, Junie B. Jones —dijo.

—*Oui* —dijo Pierre—. *C'est magnifique!*

—Sí —dijo Lucille—. A mí también me gustan esos lentes, Junie B. Porque el morado es el color de moda de este otoño.

Mi corazón se puso muy contento con la noticia.

Miré a May muy orgullosa.

—Viva el morado —dije.

Cuando terminó el muestra y cuenta, el Sr. Susto nos dio más tiempo para escribir en los diarios.

Agarré mi lápiz muy contenta. Y añadí dos líneas.

P.D. ¡Oye! ¡No lo vas a creer!
  Creo que a lo mejor me va a
gustar el primer grado.

Miré alrededor del salón de clases y sonreí.

Todo se veía clarísimo.

■ ■ ■ ■ ■ ■ ■ ■ ■ ■

BARBARA PARK es una de las autoras más divertidas y famosas de estos tiempos. Sus novelas para secundaria, como *Skinnybones* (Huesos delgados), *The Kid in the Red Jacket* (El chico de la chaqueta roja), *My Mother Got Married (And Other Disasters)* (Mi madre se ha casado y otros desastres) y *Mick Harte Was Here* (Mick Harte estuvo aquí) han sido galardonadas con más de cuarenta premios literarios. Barbara tiene una licenciatura en educación de la universidad de Alabama. Tiene dos hijos y vive con su marido, Richard, en Arizona.

DENISE BRUNKUS ha ilustrado más de cincuenta libros. Vive en Nueva Jersey con su esposo y su hija.